- 埃尔热 -

丁丁历险

黑金之国

الذَّهَبْ الأَسْوَدْ

中国少年儿童新闻出版总社
中国少年儿童出版社
casterman

北 京

图书在版编目（C I P）数据

黑金之国／（比）埃尔热编绘；王炳东译．-- 北京
：中国少年儿童出版社，2009.12（2013.9重印）
（丁丁历险记）

ISBN 978-7-5007-9453-0

Ⅰ.①黑…　Ⅱ.①埃…②王…　Ⅲ.①漫画：连环画
—作品—比利时—现代　Ⅳ.①J238.2

中国版本图书馆CIP数据核字（2009）第199491号

版权登记：　图字：01-2009-4007

Translated into Chinese by Mr.Wang Bingdong
The publishers are most grateful to Mr. Pierre Justo for his valuable help.

ISBN 978-7-5007-9453-0
Printed in the People's Republic of China

HEI JIN ZHI GUO

出版发行：中国少年儿童新闻出版总社
中国少年儿童出版社
出 版 人：李学谦
执行出版人：赵恒峰

作　　者：埃尔热　　译　　者：王炳东
责任编辑：白雪静　　中文排版：王海静
责任校对：杨　宏　　责任印务：杨顺利

社　　址：北京市朝阳区建国门外大街丙12号楼　邮政编码：100022
总 编 室：010-57526071　传　　真：010-57526075
发 行 部：010-57526568
http：//www. ccppg. com. cn
E-mail：zbs@ccppg. com. cn

印刷：北京盛通印刷股份有限公司

开本：720×950　1/16　印张：4
2009年12月第1版　2013年 9 月第7次印刷
印数：111001－136000册

ISBN 978-7-5007-9453-0　定价：12.00元

黑金之国

الذهب الأسود

?
?

现在我明白了，为什么人们管发动机叫做内燃机！
这不是开玩笑的时候……我们得叫一辆抢修车……

我同意……但到哪儿叫呢？
那倒是……

有救了！……那里有个电话亭！

西蒙
为您服务
西蒙
为您服务

喂……这里是西蒙汽车修理公司……好的……好的……5号公路……18公里处……杜庞先生……

怎么样？……
抢修车三刻钟以后就到。

我们先抽根烟，一边等着……

谢谢。

啪嗒

?
?

第二天……
"形势很严重"……"会打仗吗?"……"我们准备好了吗?"……"征召预备役军人入伍"……"部队严阵以待"……唉!情况不妙……

丁零
丁零

喂?……是我……哦!晚安,船长……你好吗?……有什么新消息?……

我刚接到海军部的指令:"命令阿道克船长立即赶到某货轮(船名严格保密)担任指挥工作,到达后他将得到新的指令"……就是这样……简单地说,我应征入伍了……不,我没有时间去看你了……我马上就要出发……是的……再见……

再见,船长。祝你好运……希望这是一场虚惊……

丁零

你好!
你们好!……有什么消息吗?

消息?……我们刚刚碰上了一件离奇的意外事件!
确切地说,我……这个意外事件……呃……很离奇!
哦?……说给我听听……不过,你们先坐下……

是这样的……我们的车子刚加完油,在路上跑得好好儿的。突然间,在事先毫无征兆的情况下,车子的发动机就……

啊,又来了!简直是一场流行病!

没错!……和我们碰到的情况一模一样!……
是的,还不止这些呢!……

不久以后,我在同一个加油站加过油的打火机也在我手上爆炸了!
那么,看来是汽油……

……被掺假了,是这样!……我们刚才也是这么想的……如果说汽油被做了手脚,那肯定是从发动机的爆炸事故中得到好处的家伙干的!……我们不应忘记警察的那句老格言:"追查从罪行中受益的人。"

然而,在这件事上,谁是罪行的受益者呢?……谁呢?……嗯?……我来告诉你吧!……就是"西蒙"汽车修理公司!
!

是的，我敢断定，是“西蒙”公司在汽油里掺假，目的是为了使驾车人在发动机被炸坏后不得不求助于他们的抢修车。由于这家公司到处做广告进行宣传，汽车一出事，都会上门找它……
这很有可能，不过……

不会有错！……我们这就去进行调查。一周以后，我们将会搜集到足够的证据，以便逮捕“西蒙”公司的头头儿！
我祝你们成功！……

第一步，我们先到“西蒙”公司那里转一转……

我们进去瞧一瞧吗？……
西蒙有限公司

招聘熟悉汽车机械性能，能驾驶抢修车的优秀司机
西蒙有限公司

喂！……你是怎么想的？……这可是打进内部侦察情况的绝好机会……
好主意！……

第二天……
你们都明白了吧，该干些什么？……
完全明白了，头儿！……
西蒙公司
53
121572

这个汽油掺假事件引起了我的好奇心！……
?

我真想把真相搞清楚！……
你是不是又想去冒险了呢？……我可是想好好儿休息一下！

斯毕多

我想见你们的经理……
接待员

与此同时……
喂?这里是西蒙公司!……好的……6号公路……知道了……请问您是哪位先生?

……杜邦！……是抢修车……呃……出了故障！
西蒙
为您服务

经理先生，鉴于汽油质量问题而造成的这种局面，我很想了解你的看法……
唉！朋友，形势是灾难性的！……
售统计图

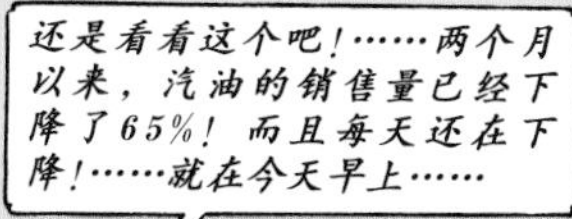
还是看看这个吧！……两个月以来，汽油的销售量已经下降了65%！而且每天还在下降！……就在今天早上……

销售统计图表

……由于担心使用汽油引发事故的危险，航空公司已经暂时取消了一些航班！……石油公司的股票暴跌了一半！……有些油井也停止了生产！……我再说一遍，前景是灾难性的！……

而且，你不会不知道，当前国际形势很紧张……对你说吧！……假设明天爆发战争……你从这里就可以看到其严重后果！……军舰、飞机、汽车、坦克……总之，整个军队全瘫痪了！……

是什么原因造成了汽油质量这种骤然的变化？
这的确是个大问题！……既然开采和提炼的方法都没有变，我们首先想到的是有人搞破坏……

因此我们在各加油站、储油罐、油轮都进行了采样分析……但毫无结果！……后来我们决定研究出防止汽油发生爆炸的方法。我们的实验室正日以继夜地工作来解决这个难题，而且，我……

?
?
销售统计图表

又一个发动机爆炸了！……我刚才说到哪儿了？……啊！对了！……我的实验室主任对我说，他的研究快要成功了。他很快就会给我来电话，报告他是否找到了……

我想肯定是他打来的！……我接一下电话，可以吗？……
不必客气……
丁零
丁零

喂？……喂？……是我……怎么样，行了吗？……你成功了？……还不能这么说？……是的……是的，是很遗憾……总之，只能往后推一些日子罢了……
销售统计图

什么？……还要不要继续进行研究？……当然啦！那还用说！……为什么提出这个问题呢？
销售统

如果是这样，经理先生，那就要考虑一下建立新的实验室了……

对汽油的分析没有任何结果……要是汽油掺入了一种不留任何痕迹的添加剂呢？……我的好米卢，今晚我们到储油罐那边去转一转……
ELECTRA
征召
预备役军人
入伍

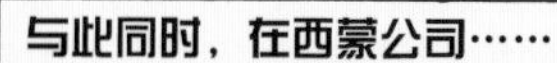
与此同时，在西蒙公司……

结冰！……路面上有结冰！……你们把我当成傻瓜呀？……我再给你们一次试用机会，这次你们可要当心！……明白了吗？……快去检查我们经理的汽车轮胎的气足不足……
星期四
18
八月

不管怎样，这样更好！……留在车库里，我们可以更快地了解情况……

我的车子准备好了吗，维克多？
一会儿就好，经理先生。他们正在检查轮胎的气足不足。
嘘！……是经理！……

最近情况怎样，维克多？还是那么糟糕吗？……
唉！是的……

唉！真令人丧气！……到处都在议论战争……好像战争随时都要爆发似的……

当天晚上……

啊！那些储油罐就在这里！……

?
咻……
斯毕

啊！你来啦？……
东西带来了吗？……
带来了，拿着！……你把钱准备好了吗？
斯毕多

给你！……
很好……你明天就离开？……
阿……
阿阿……
阿……
是的，“斯毕多之星”号明天下午就起航……

阿嚏

如果有人偷听，那他活该倒霉！……

哦！只是一条狗！……太好了！……

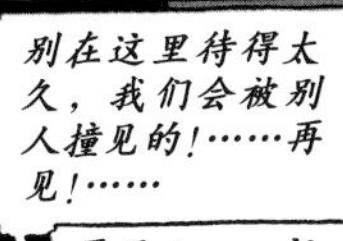

别在这里待得太久，我们会被别人撞见的！……再见！……
再见！……祝你好运！……

多亏了你，米卢，我逃过了一劫！……我相信，我们找到线索了！……现在，我就去给斯毕多公司的经理打电话……

喂？……是我……啊！晚安，亲爱的丁丁！……有线索了？……真的吗？……你想调查这件事？可是，你要知道，战争随时都可能爆发……你说什么？……你要上“斯毕多之星”号？……当无线电报务员？……好吧，我去安排一下。

第二天早上……
斯毕多之星

哦！你是新来的报务员？……你看起来太年轻了一点儿……
呃……你知道……

喂，杜庞吗？……啊，你是杜邦……我是安全局的朱贝尔……命令你们化装成海员，到开往科麦德酋长国肯姆赫港口的“斯毕多之星”号船上执行任务……那里，穆罕默德·本·卡利斯·埃扎布国王和企图推翻他的巴伯雷尔酋长之间打得一塌糊涂……科麦德是个敏感地点……一定要密切注意事态的发展！……

你听见了吗？……
听见了。时间很紧，我们赶紧去准备。

喂，伙计，我们的舱位在　哪儿?

……下次你们跟我说话，就会知道该称呼我“船长”了!……懂了吗?……

嘟 嘟

野蛮的家伙!……
野蛮?……确切地说，这家伙真野蛮!……但应该承认，他站在船上稳如泰山，怎么都不会摔倒……

现在，我们一定不要引人注意，要偷偷地混到船员里头去……

16

……天哪!是我昨天晚上见到的那条狗!!!……

可能只是巧合……
不过，还是要多加
小心！……

我要找个更安全的
地方，把那个包裹
藏起来……

嘿！叫你呢……
嗯？干什
么？！……
有事吗？

警察？……
是的，秘密警
察。可是……
你怎么会知道
呢？……

干我这行的什么都知
道！……自我介绍一
下：情报局的麦克·奥
科纳，正在执行特殊任
务……
我们是安全局的杜邦
和杜庞，也在执行特
殊任务……

我想请你们帮个忙，
你们能不能为我保管
一些秘密文件？……我
相信我已经被人盯上
了，很担心这些文件
会被偷走……
愿意效劳，亲爱的
同事……

这下好了！……
我可以放心了
……

?

等到了肯姆
赫，再来收
拾你和你的
主子！……

不行！我得马上
跟你算账！……

……据报告，发现边
境部队调动频繁……
内阁总理今天上午在
议会宣布说，当前形
势严峻，但政府已经
采取了一切必要的措
施……

糟了！形势好
像越来越不
妙……战争真
有一触即发之
势……

米卢在哪儿呢？……我怎
么听不见它的声音了……
米卢？……米卢？……哟！
它出去了……

太棒了！
大骨头！
?

哇
呜
汪
汪

汪汪！

喂？……
喂？……

喂，报务员在哪儿？……你是不是在给火星打电话？……这里有一封要发给公司的电报！……我还等着答 复呢……

我来了，船长！……

嘀……嘀嘀
嘀……嘀嘀

战争……我没法儿不去想这件事……那将太可怕了！……但愿政府间能达成和 解！……

嘟 嘟嘟 嘟嘟
嘟嘟 嘟 嘟
啊！收到了公司的回电！

我很快就回来，米卢！

啊，天已黑了……

是公司的回电吗？……好……谢谢。
晚安，船长……

奇怪！……我记得我把门关上了……

是浸了氯仿的棉花团儿！……米卢被拐走了！

米卢？……

?

哦哟！我松了一口气！……

可是，米卢去哪儿了？

我打死你，该死的畜生！……我打死你！

哟！

该死的畜生！

野蛮人！

米卢！……可怜的米卢！……是我！……别怕……

哎哟！

是老鼠！

哼！

来吧，我们来较量较量！……
我……我……你听我解释……

是的，我也要给你解释解释……
我向你保证，我……我搞错了……是个误会……

是那个报务员！……好啊！老兄，要是你能猜到……

啊！哈！他又上来了……

天哪！

会不会是……

米卢！

你这个恶棍！……
你想淹死我的狗！
你的狗？……
什么狗？……

什么狗……狗牙……狗牙根！……丹东和罗伯斯比尔……"比尔"是"石头"，俗话说：滚动石头不生苔……我念得不错吧？……还有呢！……
?

没完，还有呢……安蒙……阿莫尼亚，氨水……马修使徒头上只有一根头发！……
天哪！他精神错乱了！……

来，跟我走！
好吧！……但有个条件：我们一起走！

啊！变天了！
变……变水了！……哈哈！……

你看见那两个形影不离的人了吗？……我找不到他们了……
他们跟我一起上了甲板……后来就不见了……

杜邦！……杜庞！……

他们肯定被一股巨浪冲走了！……

快来，头儿！……我们给你留了一个位子……这样，万一船沉了，我们也有备无患……
!

第二天……
啊！好些了，暴风雨过去了。

怎么样？……他好些了吗？
还是一样……胡言乱语……
啊？你好，身体好吗……有烟吗？……我还好，你呢……你在吧台上喝酒……跟上时代……巴拿马……船员……欺骗……

我不能再指望从他那里搞到什么情况了。

几天以后……
肯姆赫港口到了。
是的，有艘汽艇开过来了，上面可能是警察……

显然，由于国际形势和国内的紧张状况，他们加强了戒备。

我们是军事警察。我们奉命上船进行搜查。
哦？……好的！请吧……

军事警察。我们来检查你的船舱。
请吧。

军事警察。打开你们的箱子。

举报的情况属实：这个挂衣架是被改装过的！
!
?

这些文件藏在报务员的船舱里，中尉。
给我！

哈！哈！……这太有意思了，向巴伯雷尔首长交付武器的清单！……
我向你保证，中尉！我……

放开我们，我们是警察。你们这样做，要付出代价的！……
确切地说，你们要为此付出代价的！……

他们的行李箱里藏有可卡因！……他们还声称自己是警察！……
哦？

我们的善意被人利用了，中尉！……是情报局的一个密探把包裹交给我们保管的，说里面是一些机密文件。
这个家伙在哪儿呢？……

他在船上，中尉……只不过，他好像突然间就疯了……
你是说，我们不能从他口中问出什么东西来！……你们关于疯子的故事编得真不错！……只是，我并没有疯，没有疯！

唉！真是的！我追踪的又是一个假线索！

好了！把这三个家伙给我押到汽艇上！他们将受到特工部门的审问。
可是……
我……

这些家伙是什么人呀？……
有两个好像是毒品贩子。但是那个小个子负有巴伯雷尔首长交给他的一项重要使命！……

很好！……等我们尊贵的首长夺取政权以后，一定会重重奖赏你的！……现在，你走吧！

应该立刻报告巴伯雷尔！……

当天晚上……

尊贵的酋长，我刚从肯姆赫赶来。我在那里听说国王的警察抓走了一个外国小伙子。

后来呢？

是这样的！有个卫兵是我们的人。他向我透露说，他们在犯人的身上搜出了一些文件。根据这些文件，可以断定他是来向您通报说，有一大批军火将要运过来。
应该把这个外国小伙子解救出来，带到我这里！

第二天早上……
跟我们走。把你带到中央监狱。你在那里将受到特工部门的审讯。

穆罕迈德，这是个好机会！……快！冲上去！……

他在这里！

快！

与此同时……
我们检查了你们的证件，完全符合规定。你们自由了。
哦！很好！那我们的朋友丁丁呢？

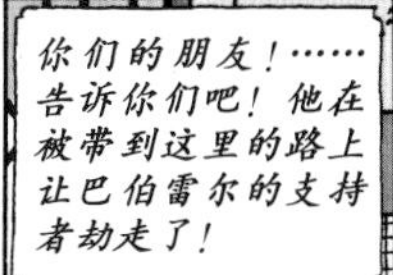
你们的朋友！……告诉你们吧！他在被带到这里的路上让巴伯雷尔的支持者劫走了！

现在，你们快去寻找他们！……他们总是神出鬼没！得手后就消失得无影无踪了。但是，谁要是能给我们通风报信，找到他们首领的窝点，就可以得到一笔2000英镑的奖金。

2000英镑的奖金？我们不会听错吧？……一星期以后，我们一定把这个巴伯雷尔五花大绑给你送过来！……
好！太好了！愿真主保佑你们！

第二天早晨……
2000英镑的奖金！……
5433

他就是被我们的人解救的那个外国小伙子。
让他进来！

欢迎你，年轻的外国朋友！……你支持我们崇高的事业，真主会保佑你的！……怎么样？那批军火什么时候运到？……
什么军火？……

可是，你这次来，不就是为了向我报告，说有一批武器和弹药要运送过来，难道不是吗？
我？……没有这回事，尊贵的首长！……

这么说，你欺骗了我，狗崽子！
不，尊贵的首长！是一个卫兵告诉我的。我向您发誓。

尊贵的首长，他说的是真话。他们的确在我的船舱里发现了一些文件。但是那些文件不是我的……我也不知道是谁把它们放在那里的……

这一切都是他们使出的诡计，为了找到我的藏身之处！……你想我会轻易把你放走？……好向可恶的穆罕默德·本·卡利斯·埃扎布的警察告发我们吗？……绝对不行！……你将作为犯人留在我们这里！
?

把他捆绑起来，好好儿看着！
呜呜呜
是架飞机！

尊贵的首长，国王的飞机飞过我们营地上空！

那就是巴伯雷尔的营地！……

砰
砰
砰

他们扔下了传单，这些笨蛋！……哈哈！……我手下的人没有一个识字的！！……

لعنك الله ٠٠٠٠يا ا بن
الكلب يلعن ابوك بـدوي
别听他的，丁丁！……他说的一定都是脏话……

砰
砰
砰

明天太阳升起的时候，我们撤出营地！无论如何，后天我们必须躲到山里安全的地方！……

你呢，跟我们一起走……你将作为我们的人质！……

与此同时……

你说呢？……你敢肯定我们走的方向没错？
我敢肯定！……

而且，事情再简单不过了。他们不是告诉过我们："一直往前走"……
你说得对！前面就是我们将碰上的第一口水井。

我们在那里停留一会儿，给散热器加些水……

?
?

见鬼！……原来是海市蜃楼！……
海市蜃楼？……是吗？……我还以为他们把那些树砍光了呢！……

没关系，继续往前走吧……

啊！我们开得还算顺利……到旱河地带了！我们到那里停下来喝一杯……
好主意！

唉！倒霉！……又是海市蜃楼！

又一个！……这也太过分了！

唉！我真的陷入困境了！……

第二天早晨……
行了，车子可以开走了！

上路吧！

你看！……
哦！……有个湖！

我们去洗个澡，怎么样？
太好了！……这个主意太妙了！

我敢打赌，我这一跳，肯定比你跳得远！
那就比比看！

呸！还是海市蜃楼！
确切地说……

与此同时……

真主最伟大！……那是毕安比克水井……
你说得对……

水！……终于有水了！……我快渴死了！……

该死！……水井已经干涸了！

没有水！……还得往前走！

?

我们的俘虏已经精疲力竭，晕过去了！……
好吧！给他松绑，把他扔在这里算了！

汪！……汪！……一帮卑鄙的家伙！……

你呀！老是吹牛说什么你善于辨别方向……
我还是要说，我们走的方向没有错……

那就是证据！……你看！……
呸！还是海市蜃楼！
5433

你看！……我跟你说什么来着？

这一回，肯定不会错了。我们有救了！
又是个海市蜃楼，我的老伙计！……第一眼就可以看出来！

不对！这一回，我向你保证，一定不是！
啊？你说不是？……好吧，你留在这里，我去证明给你看……

嘿！……

我……你……呃……对不起！我向你道歉：我把你看成海市蜃楼了！……
?

وقف عندك، جبان
ملعون، كسر راسك

你刚才说对了：那不是海市蜃楼……
哦？

与此同时……

啊！他终于醒过来了！
我这是怎么啦？……哦！是的，我想起来了……阿拉伯人……筋疲力尽的长途跋涉……干涸的水井……

这帮强盗！他们把我扔下不管了！……走吧，我们自己想办法，走出困境！……

好几个小时以后……

看那边！……我不是在做梦……一根输油管！……还有几棵棕榈树……是沙漠绿洲！……米卢，我们有救了！

但愿……但愿这不是海市蜃楼！

是水井！……有水！……感谢上帝！

有水！……
有水！……

与此同时，在几公里以外……

嘿！又是海市蜃楼！
是吗？……看来不像……我要是你，我就绕着走……

要我绕着走，为了这个可笑的幻影？……呃……是海市蜃楼也好，不是也好，还是什么别的……呃……总之，我绝对不会听你的……我就是 要一直 往前开。

你看！……我跟你说什么来着？……

啊哈！……啊！水真好喝！

现在，要是有什么吃的就好了……哦！看见了吧……可是……

有了！……谢天谢地！那是枣椰树……

嘿！
你真以为天上会掉下馅儿饼！

哦！可怜的米卢！

天黑了……我们只好在这里过夜了……明天，也许我们会幸运地碰上什么人……
这玩意儿里面都有根骨头，可不如羊后腿好吃！

又过了几个小时……
哦哟！……夜里真冷呀……根本没法儿合眼……

嘘！……这是什么声音？……
?

是骑兵！……米卢，我的好米卢，我们有救了！

骑兵？……三更半夜来这里干吗？……嗯！……我看最好还是先不要露面……

他们下马了……

艾哈迈德，看好马匹……你们两个，跟我来……
这个声音，我在哪儿听过呀？

他们这是要干什么？

去吧！……动作要快……

他们在输油管那里干什么呀？……

他们又跑着回来了……我想他们……

天哪!他们把输油管给炸了!

快上马!……警报就要拉响了!
这个声音……真的!这声音听来很熟……

哟,那个人留下来干什么?……

哦!要是我没看错,他正在修理马镫……要是我有胆量,我……

冲上去,米卢!……我豁出去了!……
干吗呀?……你这是怎么啦?……

艾哈迈德呢?……他没跟上来?……

啊!他过来了!……我们继续走吧……

与此同时……
喂……喂……这里是12号油泵站……检测到油压全部消失……上游的输油管可能破裂了……请火速派出一支抢修队……

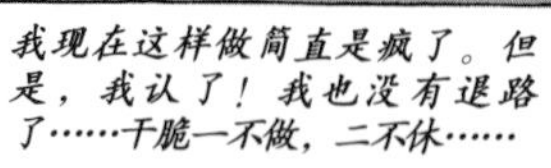

我现在这样做简直是疯了。但是，我认了！我也没有退路了……干脆一不做，二不休……

喂？……喂？……11号油泵站吗？……这里是1号监控中心……立即关闭所有的阀门……输油管破裂了……抢修队已经出发了……

我们在这里分开……这样做，可以把线索搅乱……就艾哈迈德一个人 跟着我……

这个声音……我到底在哪儿听过这个人的声音?……

停下!……

牵着我的马，就一会儿……我很快就回来……

?

这张脸！……我认出来了！……是的，不会错……他是缪勒医生！①

他要干什么呢？

哟，他上哪儿去了？

咔嚓
!
?

嘿！嘿！倒霉的艾哈迈德，一个小镜子有时会派上用场，可以看到身后发生的情况……我最讨厌鬼鬼祟祟、探头探脑的家伙……

见鬼！……哟……他不是艾哈迈德……是丁丁！……

丁丁！……我怎么会在这里碰见他？……他是不是觉察到了什么东西？……我是不是等他醒来后再盘问他？……我考虑还是不行！……没必要……

我倒不如一枪把他毙了，彻底断了他爱管闲事的念头……

哟！那是什么声音？……好像是……没错……是的……好像是辆汽车……

来了一辆吉普车！……天杀的！他们不会是跟踪我吧？……

①原注：参见《黑岛》。

该死！我们的马呢？……我敢肯定他们发现了我们的马！

可是，怎么处置这家伙呢？……一枪打死？……这会儿不行！算了！看来他一时还醒不过来……我等一会儿 再来收拾他……

哦哟！他们走了！……我吓得出了一身冷汗！

现在，快！……去收拾丁丁！……我真后悔，早就该用枪托把他 打死……

天杀的！
!

砰

好悬呀！
砰

砰

砰
砰
砰

哪儿来的枪声？

砰

怎么回事？……没声了？……不，是没动静了，他不开枪了！……会不会是个圈套？……
哦！哦！这是什么？好像是马蹄声……是不是……

果然是的！这个恶棍骑马逃走了，两匹马都骑跑了！……

我又落得一场空，只是头上多了一个大包……

走吧，米卢，上路吧！……我们别无选择了……

……只能跟着地上的马蹄印走……
这个家伙，要是再让我碰上，当心他的屁股！

我怎么会在这里碰上这个缪勒医生？……他又为什么叫人炸掉那条输油管呢？……还有，在我只能任他摆布的情况下，他为什么还饶了我一命？……这些问题，我现在都无法作出解释……

哦！……我没看错吧……走近瞧一瞧……
?

是的，米卢，是汽车驶过留下的轮胎印！……我们真有运气！
啊，是的，也许是一条公共汽车线路！……

好好儿看看……好像是吉普车的轮胎印……沙子和石子都被甩在了这一边，看来车子是往那边走的……米卢，走吧！我们也朝那个方向走……

……我们以后再来收拾我们的朋友缪勒医生。

与此同时……
情况不妙，杜邦！……我们无论如何都要到达某个地方，要不然……

有救了！……你看！两道轮胎印……
你说得对！……这次不会是海市蜃楼了……

我们只要沿着轮胎印走就行了，这次一定能成功！

一小时以后……
你看！……那边……又有两道轮胎印，第二辆车跟第一辆车在这里会合了……

找到这条路太好了！
确切地说，真是太好了！

一小时以后……
你看那边！……第三辆车跟头两辆车在这里会合了！……看来这条道路来往的车辆很多……

又是几个小时过去了……
又有一辆！……已经是第七辆了！……

我们肯定快到一个大的交通枢纽了……停下！……我们前面，有个什么东西？……

一个汽油桶！……

灌得满满的！……真有运气！……当然是我们有运气啦！……而丢掉它的那个可怜家伙，算他倒霉了……

我去检查一下我们自己的汽油桶是不是系好了，可不能掉以轻心！

!
天哪！……

我们也把汽油桶给丢了……你看……皮带断了！……
天哪！

肯定掉在后面了……我们快掉头，回去找一找……
你说得对，汽油太珍贵了，不能丢下……

上路！……不会太远的。

一会儿以后……
一条真正的道路，米卢！……

而且来往车辆很多！……你看，有那么多的轮胎印……而且还都是新留下的痕迹……哦！可是……真奇怪……这些轮胎印都是一个样的……会不会是有一队吉普车开过去？……除非是……
除非什么？

是的，绝对没错！……是同一辆车沿着走过的路线没完没了地兜圈子……车子的主人跟我一样，也迷了路……

?

哦！哦！米卢！……还有更严重的呢！……可怕的“坎辛风”沙漠风暴就要来了！……

沙暴刮起来了！我们正处于风口上！……更可怕的是，风沙会把所有的轮胎印都盖住了！……

唉！沙子！……眼睛……嘴巴里全是沙子……没法儿再往前走了！只好……

……停下来，等沙暴过去了再说！……

嘘！……我听见有声音……对，没错……是发动机的声音！……

没法儿再往前开了！……要把挡风玻璃摇起来，把顶篷也架起来……

喂！

呸，这沙子！……

小心！别松手！
放心吧，我抓紧了！

喂！

走吧，米卢！

抓紧！别让它给刮跑了！……

喂！

喂！

?

怎么回事？ ……

怪了！是杜邦兄弟的圆顶帽！……这怎么可能？……难道他们……

杜邦！喂！杜邦！……

喂！杜邦！……是我，丁丁！……

嘿！……邦丁……丁……

喂，你听见了吗？……没有？……好像那边有人在喊我们的名字！
得了！得了！这又是海市蜃楼，老兄！……我们快走吧！……

发动机又响起来了……他们没听见我的叫喊……

哦！我的枪！……开一枪，他们肯定会听见！

砰

太好了！……这回他们听见了，车子又停下来了！

喂！……杜邦！……

什么也没有！……这边的车胎完好无损……可我的确听到了爆裂的声音……
我这边也没问题！……我们继续往前走吧！……

喂！……杜邦！

……邦……

是海市蜃楼，老兄！……这已经不是第一次了……你怎么还那么在意它呢？……好了，走吧！……

发动机的声音越来越远了……完了……他们真的开走了……

我们无路可走了，米卢……我们完了……
好呀，这真好玩儿！……

不久……风暴平息了……

呼呼
呼呼

伟大的真主！伟大的先知穆罕默德！……

我……我这是在哪里呀？……
?

出了什么事？……你知道吗？
我……不知道……我可能是在开车时睡着了……不知道丁丁现在怎么样了？……

第二天早上……
那么，穆罕默德·本·卡利斯·埃扎布，这份合同，你签还是不签？
不！

尊敬的国王，那就随你的便吧……我希望你以后不要后悔……
我是不是可以认为，你这样说是在威胁我？

هناك شخص يريد مقابلتك
好的，我可以接见他……

?
!
?

这个老滑头，我要让他付出沉重的代价！

陛下在等你呢……请跟我来……
太幸运了！他没有看见我……

这个强盗到这里来干什么？……我一定要提高警惕！

!

您好，尊敬的穆罕默德·本·卡利斯·埃扎布国王……
你好，年轻的外国人……欢迎你到艾塞雷姆王宫来……请坐下，你有什么话，请说吧……

是这样的，陛下。昨夜，我是乘坐我两个朋友开的吉普车进入这个城市的……
这件事我知道了。你读到的那两个人将受到鞭刑的惩罚，他们罪有应得……

尊敬的国王，我是前来恳求您宽恕他们的。多少天以来，这两个人一直在沙漠里转来转去。他们迷了路，弄得精疲力竭，所以才会……
好了，好了……这点我们以后再说吧……但是，告诉我，他们到沙漠里干什么？……而你呢，穿着北非贝都因人的衣服，来这里干什么？……给我讲讲吧……

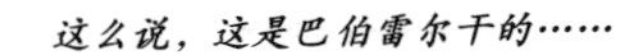

好的，陛下……不过说来话长，我担心过多地打扰您。
不，一点儿也不。我喜欢听故事。你开始说吧，我听着呢……

两小时过去了……
……那一刻，巨大的火焰突然喷射了出来。他们把输油管给炸了。
这是我昨天获悉的两起破坏事件当中的一起。昨天夜里又发生了两起破坏事件。啊！要是我能够把巴伯雷尔这个畜生抓到就好了！……

这么说，这是巴伯雷尔干的……
是的，这个强盗在斯科尔石油公司的支持下企图推翻我。他一旦夺取了政权，将把阿拉伯科麦德酋长国的石油资源出卖给斯科尔石油公司，并且把我授权开采石油的阿拉伯石油公司驱除出去。这就是为什么这个坏蛋竭力破坏阿拉伯石油公司设施的原因……

很显然，鉴于我与阿拉伯石油公司签订的合同即将到期，我完全可以不同意续约，而与斯科尔石油公司签订新的开采合同。而这正是史密斯教授向我建议的一宗买卖，你来的时候他正从这里出去。
这下我算明白了！……

不是吗？……事情很简单，如果我跟斯科尔石油公司签约，破坏行动立即就可以停止……那么，我为什么拒绝史密斯教授签订合同的建议呢？……
是呀，为什么呢？

为什么？……很奇怪，我不知道是什么东西驱使我跟你谈这些事……我刚刚才认识你……但是，不知道为什么，我信任你……而这……是真主的旨意吧！……我不签约，是因为我不喜欢史密斯教授，也不喜欢斯科尔石油公司。
哦？

我扯远了，还是回到你讲的事吧……你谈到那些破坏分子正在点燃输油管，引起大火……后来呢？
后来，他们急匆匆地跑了回来，骑马走了……我那时一直躲在岩石背后……突然间……

陛下！……陛下！……不好了！陛下！……
怎么回事？……你干吗来打扰我？

不好了！陛下！陛下！您的儿子！……
怎么啦？阿里·本·马哈穆德，我心爱的小羊羔又搞什么恶作剧了？

啊！陛下，真主保佑，但愿这是一场恶作剧！……您的儿子失踪了！

哈！哈！哈！哈！……失踪了！要是你了解我的儿子，你也会像我一样感到好笑！从来还没有人见过像他这样了不起的小淘气鬼！他每天都会发明一些新闹剧……跟我来，你就知道了……

他刚才还在花园里玩，陛下！……
好的，我知道了。阿里·本·马哈穆德，你放心好了！

这是三天前他六岁生日那天我送给他的小汽车……

阿布达拉！……阿布达拉！……你在哪儿，我的小宝贝儿？
?

阿布达拉！……快出来吧，我心爱的小鸟……

阿布达拉！我的小羚羊……

阿布达拉！……阿布达拉！你躲在哪里？……

阿布达拉！……你这个小坏蛋！你再不马上出来，我要狠狠教训你了！

对不起，陛下。请问，您的儿子是不是穿蓝色衣服？
蓝色衣服？……阿布达拉？……不！……你问这个干吗？……

这是我刚发现的一小块儿蓝色布条，它挂在这根树枝上……树底下有些很深的脚印……显然是有人曾经躲在树上，然后跳了下来……
有可能……是的……不过……

您看，您儿子的小汽车……它被人使劲地推到了一边，从车轮留下的痕迹就可以看出来……

可是，我还是不明白……你到底想说什么？
我不敢对您明说，陛下……我担心发生了最坏的情况……您还是跟我来……我们肯定还会发现其他的线索……

您看！果然不出我所料，这儿还有些脚印……

这儿……那儿……那儿还有……您看，墙面上有些地方被划破了……他们是从这里翻墙出去的……

“他们”是谁呀？
就是那些绑架了您孩子的坏人，陛下！

那些……你疯了！……我的儿子！……被绑架？……为什么呢？……告诉我，他们干吗要绑架我的儿子？太荒谬了！……这些，都是你编造出来的！因为，你撒谎，是的，你和跟你同样肤色的人一样，都爱撒谎！

穆罕默德·本·卡利斯·埃扎布在哪儿？
在墙那边，跟那个年轻的外国人在一起……

是一个骑马的人送来的，大人……他很快就离开了，快马加鞭地朝沙漠的方向跑了。

真主啊！

真叫人不敢相信！……拿着！看这封信吧……

?

对不起，陛下，这是阿拉伯文，而我……
哦！是的，给我，我翻译给你听……

“致穆罕默德·本·卡利斯·埃扎布：如果你想看到你的儿子活着回到你身边，那就把阿拉伯石油公司从你的土地上赶走。”……签字人：“巴伯雷尔”……
果然不出我所料！……

啊！巴伯雷尔，巴伯雷尔！……你这个癞皮狗的小崽子！……脱毛豺狼的孙子！……断羽秃鹫的曾孙子！……看着吧，我的复仇将是可怕的！……我要把你乱剑戳死！……我要用温火慢慢地把你烤焦！……我要把你的胡子一根一根地揪下来！……然后叫你把它们跟红胡椒一起吞下去！……

要赶快采取行动！……找我的军事顾问商量去！……

!
天哪！……他的小汽车！

哇—呜—呜—呜—呜……我的小阿布达拉！……你在哪里呀，我的小蜂蜜点心？……呜—呜……我的小奶油松糕……哇—呜—呜—呜—呜……
您冷静一点儿，陛下！

哇—呜—呜……我的小天使！……哇—呜—呜……

我的小阿布达拉！……阿……阿……阿……阿……
?

阿嚏！……阿……阿嚏！……阿……阿嚏！……

你看……阿……阿嚏！……这是我儿子一个最新的发现，让人打……打喷嚏的粉末……阿……阿嚏！……喷嚏粉阿……阿嚏！……他过生日时向我要了一整箱……唉！我可怜的宝贝儿！

过了一会儿……

这是尤素夫·本·穆富里德，我的军事顾问。他来给我们介绍他的作战方案……来一根烟？
不，谢谢，我不抽烟……

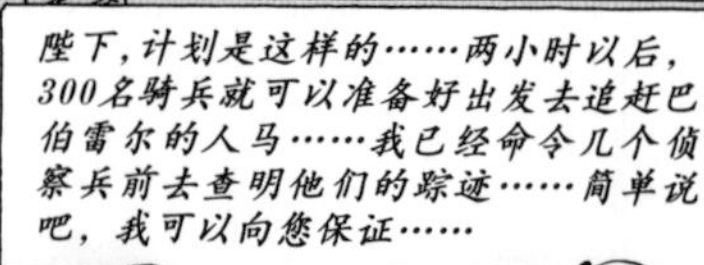

陛下，计划是这样的……两小时以后，300名骑兵就可以准备好出发去追赶巴伯雷尔的人马……我已经命令几个侦察兵前去查明他们的踪迹……简单说吧，我可以向您保证……

扑哧

真主最伟大！……我的小天使把我的哈瓦那雪茄换成了一种冒烟雪茄……他很可爱，是吧？……

我可怜的安的列斯群岛的小鸟！……

扑哧

先知在上！这个可恶的小蚯蚓竟然把我的上等香烟也换成了烟火香烟！……

两小时以后……

他们出发了！……真主保佑他们！把我心爱的孩子从那个卑鄙的巴伯雷尔手中解救出来！……

老实说，陛下，您这次派兵去，完全没用。因为绑架您儿子的不是巴伯雷尔。您应该到另外一个地方去寻找……
?

你说什么？不是巴伯雷尔？……你不是也看到了他本人签字的信！……
是的，我是看了，陛下……但是，有谁能证明这封信是巴伯雷尔写的？……您认识他的笔迹吗？

他的笔迹？……老实说，我不认识！……可是……可是，既然你知道不是他干的，那为什么不早说呢？……特别是，你为什么不阻止我派骑兵去追呢？……
为什么？……

很简单，为了让真正的绑匪以为他的诡计得逞了……因而放松警惕……
那真正的罪犯，你是认识的了？

我想是的，陛下。可是我还没有掌握任何证据……特别是，我还不知道他把您儿子弄到什么地方去了……首先一定要设法把这一点搞清楚……对了，您有没有阿布达拉王子的照片，这样看到他时我也许能够把他认出来？……

这是他最近的画像……

可怜的小天使！……叫他摆姿势给他画像，简直就是要他的命……

那位画家，真的，打那以后竟然得了精神病……

哟！……会不会又是一支见鬼的烟火香烟？……不会，这一支是真的……

原谅我，亲爱的小羊羔，我错怪你了！

又是这个小魔王耍的花招！……我不知道他是怎么搞到这个东西的……

好了，我现在已经知道了您儿子的相貌特征，这就出发去寻找他……走以前，我只请求您给我一些换洗的衣服，再给我讲一点儿有关缪勒医生……对不起，说错了……那位史密斯教授的情况。

关于史密斯教授的情况？……你认为他可以帮助你找回我的儿子吗？
有可能……

他是个考古学家。他来这里考察这一带曾经一度繁荣昌盛的古代文明遗迹……他同时也是斯科尔石油公司这个地区的代表。
他住在这一带吗？

是的，他住在我国的首都瓦德斯达，离这儿20公里的海边。那是个宫殿式的大建筑物，位于悬崖的顶部，就像栖息在上面的一个老鹰窝似的。
好的……啊！我还有一桩小事……我

砰

没什么……是一张火药纸……阿布达拉有到处乱撒火药纸的习惯……是为了给宫里增添一些生气。
哦？是这样……

刚才我说到哪里了？……哦！对了！……我跟您说过的我那两位朋友……我想请求您对他们多加关照，就是把他们当成贵宾来看待，安排好他们的生活，关心他们的健康……不过，如果您想让我找回您的儿子，那么，我恳求您在任何情况下，都不能让他们离开王宫！

第二天，在瓦德斯达……

啊！那边高高在上的，一定就是史密斯教授的豪宅了……

!
阿嚏！

他患鼻炎？……还是喷嚏粉引起的？……跟着他！
阿嚏！

?
....تفضل
صباح الخير

没错，是奥里维拉·达·菲古拉先生！①
تفضل سيدي
عندي كل ما تريد
وبأثمان رخيصة

真是个精明透顶的生意人！还是老样子！他成功地卖出了一双旱冰鞋！

انا تحت امركم
مع السلامة
阿嚏！

他感冒了，嗯？……
是的，是流行性感冒。从今天上午开始，史密斯教授的仆人当中，有很多人得了这种病……

请进，年轻的王子，快进去……就看看，不一定要买……我敢肯定，你需要的东西，都能在本店找到……

老实说，奥里维拉先生，我不需要什么东西……但是，我很高兴又见到你……你还认得我吗？
你是丁丁！……啊！……真是意外的惊喜！……哦！应该喝一杯，祝贺祝贺！……

你一定要跟我喝一杯……一定要干一杯……葡萄牙上等玫瑰红葡萄酒……感受一下我们国家的阳光！

你说说，你跑到这个偏僻的地方来干什么呀？

我……我吗……呃……我在搞考古研究……
啊！跟史密斯教授一样……
?

哦，是这样……对了，你应该认识他。你觉得史密斯教授这个人怎么样？……还和善吧？
坦率地说，他一点儿也不和善……是个粗暴而残酷的家伙，而且……

哐当
乒
咔嚓
嘣
!
!

我在柜子里安上了捕鼠器，肯定有只大老鼠被夹住了……

?

① 原注：参见《法老的雪茄》。

行了吗？……
是的，可以了！……我把捕鼠夹子给取下来了！

对不起……有顾客来了……我一会儿就回来……
不要客气……我趁这个时候，把打碎的东西收拾一下。

你看，这就是好奇心太重的后果！

好，我打扫完了……哟，有台收音机……我来听听新闻怎么样？……

咔嗒

怎么回事？……坏了？……怎么连指示灯也不亮？

哦，我知道了：收音机没有插上电源！

现在可以了……

汪汪！
?

糟了！我把插头插错了。这个应该是对的……

好了……

啊！我开怀大笑……
看到镜中的我 多么美丽……
!

啊！我开怀大笑……
看到镜中的我 多么美丽……

呜呜……啪啪……吱吱……
虽然他们打破了纪录
而且……吱吱……
啊？……啊？……
嘀！……嘀……吱吱……
……欧洲最新新闻……

经过各国外交部部长的磋商之后，国际形势有了明显的好转……嘣……在一些国家频繁发生的发动机离奇爆炸事件，就像开始时那样，也突然神秘地结束了……

当被问及发生这种现象的原因时，负责燃料处的技术研究室主任巴雷特先生拒绝就此发表意见，仅表示他领导下的部门还在继续进行研究……

我回来了……哦！你在听新闻？……
是的，上天保佑……照我看来，战争是打不起来了！

哦，刚才我们说什么来着？
我们在谈史密斯教授……你说这个人很不讨人喜欢。

这是事实……不过，他很富有。我是他主要的供货商……这你是知道的……还有，这个地区的权贵们全都是我的客户……不，不完全是！唉！就差国王这个客户了……国王是个优秀人物，可不像他那个混账的儿子……那个阿布达拉王子真是坏透了！……哦！你肯定还不知道，他刚被人绑架了！
我知道这件事……

告诉我，奥里维拉先生，你是不是乐意成为穆罕默德·本·卡利斯·埃扎布国王指定的供货商？
你问我是不是乐意？……当然，那还用说！……这将是我经商生涯中最辉煌的成就……只是，我……应该怎么做呢？

帮助我把阿布达拉王子找回来。为此，你要帮助我偷偷地进入史密斯教授的家……
进入史密斯教授家？这二者之间有什么关系？不过，如果你愿意，这很容易……我每天上午都要到他那里去……

第二天早上……
你好呀，阿布都！
你们好……阿嚏！

这个外国小伙子是谁？
是我的侄儿阿尔瓦罗……我想把他介绍给这里所有的仆人。

朋友们，我很高兴地向你们介绍我的侄儿阿尔瓦罗。他刚从葡萄牙来……是个孤儿，可怜的孩子，我把他收养了……
阿嚏！……

悄悄跟你们说吧，他有点儿……呃……有点儿傻！……这也不奇怪，经历了那么可怕的遭遇……他太不幸了！……你们想想，他的父亲，本来是一个蜗牛养殖场的大老板……不过，你们等一会儿……

乖乖听话，小阿尔瓦罗……我有事要和这几位先生商量……你到花园里去玩吧……我待会儿会来叫你……
好的，叔叔。

可要当心呀！知道吗，阿尔瓦罗！……不要弄出声音来。史密斯先生在二楼的办公室里工作，千万不要打扰他！
好的，叔叔。

一切顺利……他会给他们讲述一个没完没了的故事，把他们缠住……我要抓紧时间！……

那就是史密斯教授的办公室……

先看看他是不是真的在家……捡几块小石子……

嘿！打在百叶窗上……

怎么没动静？……是没有……

再试一下……

啪
啪

没有人……太好了……

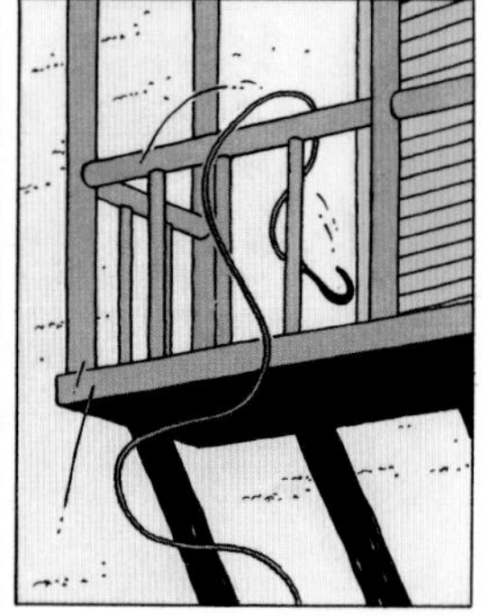

一下子就钩住了！……真走运！……

好了……我上来了……

当心……别太冒险……

与此同时……
……他的父亲本来娶了里斯本有名的船主达·科斯达的女儿，后来他突然卷入了一场不同寻常的纠纷。有一天……

太好了！……房间里空无一人……

先把门锁上……这样，万一有人进来，我还来得及溜走……

？

钥匙插在门上！……门是从里面锁上的！……可是房间里没有人！……这里面有什么奥妙呀？

等一会儿再说……先瞧一眼办公桌上的那些文件……

这文件夹里有什么东西？

哟！哟！……是一些剪报！

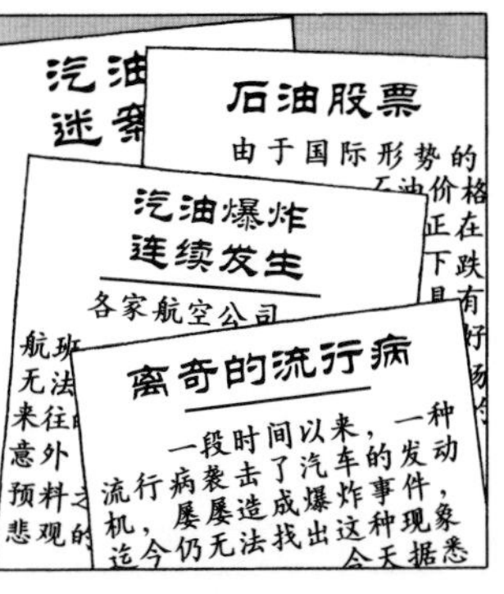
汽油
迷
石油股票
由于国际形势的
石油价格
正在
下跌
有
汽油爆炸
连续发生
各家航空公司
航班
无法
来往
意外
预料
悲观的
离奇的流行病
一段时间以来，一种流行病袭击了汽车的发动机，屡屡造成爆炸事件，迄今仍无法找出这种现象
今天据悉

缪勒医生出于什么目的对这个事件那么感兴趣呢？……我想会不会……

阿嚏！
?!

哟！……壁炉怎么打开了！……快，赶紧躲起来！
阿……

阿嚏！

他在那个角落干什么？……啊！我知道了，控制壁炉暗门开关的按钮在那里……

阿……阿……阿……阿嚏！……阿……阿嚏！……唉！害人的兔崽子！……

幸好我把旱冰鞋作为交换条件，才说服他把这盒喷嚏粉交给了我……

先放在这里……待会儿我把它烧了……

糟了！他开始写东西了！……

希望时间不会太长，我的两腿有点儿发麻了……

嗡
嗡
?

嗡
啊！一只胡蜂！

嘿！臭飞虫！……

打死你！臭飞虫！……
嗡
嗡

嗡
啊！在这里！……看我……

嗡

喷嚏粉

该死！我都干了些什么呀？……快，到窗口那边去！透透气！……

阿嚏！

阿嚏！
?

是我打喷嚏的回声？……阿……阿……阿……

阿嚏！
!

出来！……阿……要不我……阿……就开枪了……
好的……阿……好的……阿……我出来……

你……阿……你是谁？……阿……你在这里干什么？……
阿……阿……我叫……阿……阿尔瓦罗……阿……阿……我是奥里维拉先生……阿……的侄儿……阿……

阿嚏！
阿嚏！

你是丁丁!……
是的，我……阿……
阿……阿……

这一次，我的朋友，你死……阿……死定了!
阿嚏!

?
阿阿……

他被击昏了!……
再来一记右钩拳，
然后……

阿阿……
?

阿嚏!

我非把你的脖子扭断不可，
你这个坏蛋!……
!

这回他是彻底晕过去了。

阿……
阿嚏!

哦哟！我可以喘口气了！……他依然昏迷不醒……现在，快把他捆绑起来，堵住他的嘴巴，找个地方把他藏起来，再给国王打电话……

与此同时，在厨房里……
……唉！这个可怜的女人的病一直没好！她由于悲伤过度，在97岁的高龄去世了。他的丈夫痛不欲生，也很快跟随她进了坟墓。但是，对这个可怜的家庭来说，苦难并没有因此而结束。有一天，他们的儿子……

好了，缪勒医生……你老老实实地待着吧……

喂？……喂？……国王的宫殿吗？……我有话要跟陛下说……我是丁丁……喂？……喂，是您吗，陛下？……

丁丁？……是我……你在哪儿？……在史密斯教授那里？……什么？……我儿子在那里？……被关起来了！……你说什么？……啊！你打喷嚏啦？

您马上派人到瓦德斯达来，把教授的大房子包围起来……我呢，在来人之前，想办法去解救您的儿子……

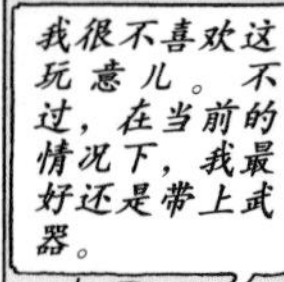

我很不喜欢这玩意儿。不过，在当前的情况下，我最好还是带上武器。

现在，我到下面去仔细看一看……

?

混凝土的通道……有一条窄轨铁路……

这里呢？……

一个真正的地下掩体！……
……里面的枪眼可以监视整个城市和港口……

天哪！我好像置身于马其诺防线一样……

阿阿……

阿嚏！

头儿，是你吗？……
?

头儿？……是你吗，头儿？……
阿阿……

没人……怪了！……

我可是听到打喷嚏的声音呀……

站住！……举起手来……不然我开枪了……
!!!

不许乱动，不许叫喊！……要不，当心你的脑袋！……

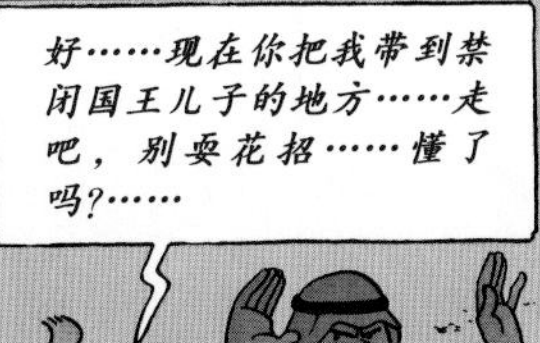
好……现在你把我带到禁闭国王儿子的地方……走吧，别耍花招……懂了吗？……

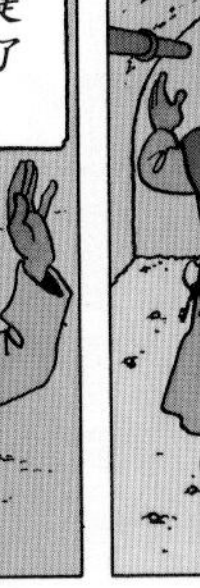

到了……就在这里……
好，你的钥匙呢？……快打开……

好了吗？……你靠边儿站……面朝墙壁，双手举起……

快，阿布达拉！……快过来！……我带你回到你父亲那里去……

不，我不要回到父亲那里去……我在这里玩得很好！……你放开我，我就是要留在这里！……
可是……

嘣

阿布达拉！……快出来，阿布达拉！……时间来不及了……

?
اترك هذا

干得漂亮，真的！……
要是我能……

老兄，你怎么没有想到把枪拿走呀！
我拿到钥匙了！……
我拿到钥匙了！……
我拿到钥匙了！……

阿布达拉！……这会儿可别干蠢事了！……你快回来！……
不！

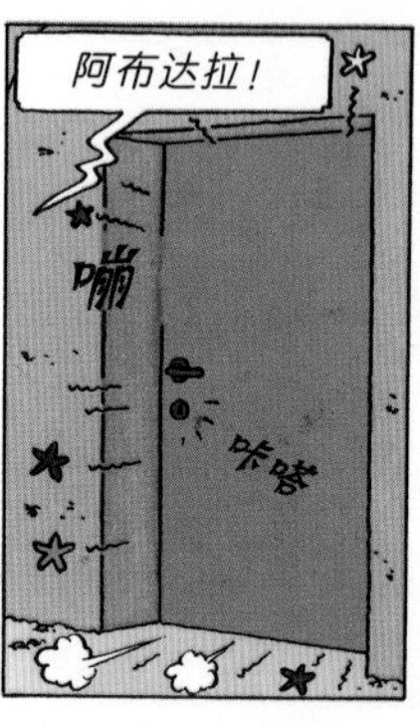
阿布达拉！
嘣
咔嗒

阿布达拉，我……天杀的！他把门反锁上了！……

看在上天的分上，阿布达拉，快开门，快！……
不！

天哪，我该怎么办？

好吧，就这样办好了……你想留在这里那就留吧！……我去看电影了，不带你去，就这样！……我走了……
……我才无所谓呢！……

咯噔
咯噔

咯噔
咯噔
咯噔
咯噔
咯噔
?

阿布达拉……过来！
不！

?
不！

!
哇！
哇！
哇！

啊呀，别出声！……

哎哎哎哟！

你这个小害人精，给我闭嘴，行吗？……
我不！

哇！哇！哇！

看看这边情况怎样，还好……我应该把他捆绑起来，可是……
哇！

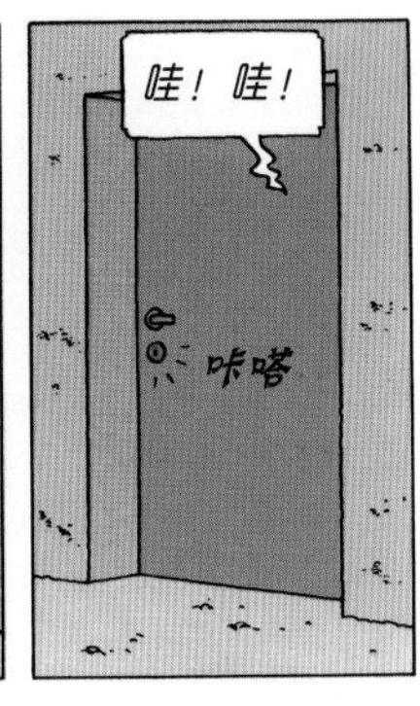
哇！哇！
咔嗒

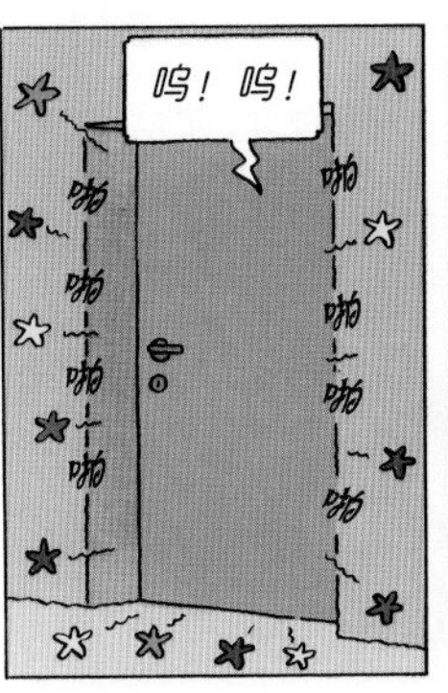
呜！呜！
啪
啪

你真坏！……我要告诉我的父亲！……我父亲是国王！……
哦！哦！……

糟糕！他醒过来了！……他准是跑去发警报了……
?

……我的父亲会叫人先把你鞭打一通，然后绑在木桩上！……
好主意！……

快，穆拉德！……把达乌德和阿布都叫来……你带上达乌德，从另一个出口开始搜查……把阿布都给我留下……我跟他在这里等候那个小歹徒……
好的，老爷……

……就在这个时候，伯爵过来了……啊！哈！他用葡萄牙语大叫了一声——别忘了，这可是他的母语——接着，毫不犹豫地把门打开了……眼前看到的景象使他不寒而栗……

达乌德！……阿布都！……快！……跟我来！……主人找我们有事！……

我……呃……我也该回去了……我忘了，还有个约会等着我呢……呃……如果你们看见我的侄子，就叫他回家……再见！

我们守在这里，穆拉德和达乌德在另一边。他跑不掉了！

……然后他割下你的脑袋……把你的头颅当球踢来踢去！……

他准跑不掉！主人在另一边的出口等着他呢……

可怜的丁丁！……他会出什么事呢？……

我没眼花吧……好像是……没错，是米卢！……

我可是把它关在家里呀！……怎么会逃出来的呢？……

米卢！……过来，米卢！……

与此同时……
啊！你看，这些玩意儿……这些东西……可以玩火车游戏！
对，是铁轨……但你以后再玩吧……

不！我现在就要玩，我要玩火车游戏！……

哐—哐—哐—哐……
阿布 达拉！……

阿布达拉！……你停下来，好不好？……
呜呜！……

呜呜！……
?

哐—哐—哐—哐……

阿布达拉！……求你啦，停下！……回来！
嘟嘟！

!
冲上去，阿布都！……

呜呜！……
嗒嗒
嗒嗒嗒
嗒嗒

嗒—嗒—嗒
嗒—嗒
嗒—嗒

呜！
?
嗒—嗒

快，阿布都！……

别让他进去把门关上，阿布都！……

该死！

嗒
嗒—嗒
嗒—嗒
嗒

火光烟
火弹
信号弹
青色
信号弹
红色
信号弹
蓝色

投降吧！……
你的子弹该打完了吧？……瞧我的！……

!
去你的！……

哦哟！我可以松口气了！……暂时没事了！……刚才我真出了一身冷汗！……

?

哟！是火光信号弹！……谁知道呢？也许还会有些弹药！……
啪嗒嗒
啪嗒嗒

啪嗒嗒
啪嗒嗒
啪嗒嗒
啪嗒嗒
啪嗒嗒
啪嗒嗒
啪嗒嗒
啪嗒嗒
啪嗒嗒

好像安静下来了……

啪嗒嗒

!!!

完了吗？

砰
这边！……冲呀！……
?
嗒—嗒—嗒—嗒—嗒—嗒
砰
嗒—嗒—嗒

开门，丁丁！……开门，是我！
天哪，是米卢……还有这个声音……他是……
汪！汪！

太好了！找到你了！……
我的好船长！……我的好米卢！……

啪嗒嗒

你以这样的方式来迎接我，真行！……
快出去，又要开始了！……
啪嗒嗒
啪嗒嗒

都抓起来了？太好了！……这一切都是怎样发生的？船长，你是怎样到了这里的？……

好吧，我来给你解释吧……你想一想……
哦！对不起，我先问你，国王的儿子找到了没有？

我不知道……我到这里的时候……没有见到他……你知道，我……
快！快！……我们去看看……

国王在上面吗？
他刚才还在……我正要告诉你……

他在那里！

啊！丁丁，丁丁，一切都完了！……我们来得太晚了……那个可恶的史密斯教授开车逃跑了，把我的心肝宝贝儿带走了……
我想，您已经派人追去了吧？

是的，当然了……我的骑兵队正在追赶他而且，你那两位长着小胡子的朋友，也开着吉普车追去了……
哦！哦！既然这样……

有了！
?
?

这辆车是谁的?
是我的!……怎么啦?……

快来，船长!……
!

站住!那是我的车……你们不能这样做!……那是我的车!……

不能让他们开走!……他们会把我的车子弄坏的!……

你肯定是这个方向吗?……
是的，这是唯一能够走车的道……可是，船长，你还一直没有告诉我，你怎么会到这里来的?……

好吧，但是说来既非常简单，又很复杂。不过，你首先要知道……
啊!我们已经看到了国王的骑兵队……你看，我们的路走对了……

我很抱歉打断了你的话，刚才你说……

是的!我是说，事情既非常简单，又很复杂……你还记得吗……
注意啦!前面扬起一股沙尘……会不会是史密斯教授呢?……

不是的!那是杜邦兄弟的吉普车……我们很快就可以超过它……

!
?

哟，真奇怪……我想，我们为什么……
你要干吗?……

!

喂!你到底是怎么啦?……车子还在开着，你为什么就跳下车了呢?

车子还在开?……我们没有停车?……啊!现在我明白了!……是那辆车超过了我们……它开的速度太快了,让我以为我们的车停下了……

与此同时……

我渴了!……
我也是……
我要吃冰激凌!
现在不行……

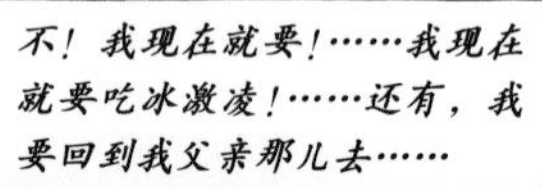

不!我现在就要!……我现在就要吃冰激凌!……还有,我要回到我父亲那儿去……

别胡来!这就是给你的冰激凌!……

哇!……哇!……哇!……
现在你给我闭嘴,不然我就不客气了!……你哪儿也不能去!……老老实实给我待在这里,阿布达拉!……

不!要我待在这里,不!……你是个坏蛋!……我要告诉我父 亲……他是国王,我父 亲……
行了!知道啦!

哦!真的,我的故事还没说完呢……我跟你说了,这件事既很简单,又……
好了!……那边沙尘飞扬,这回准是史密斯教授的车子!……

?

让人又痒又刺的粉末!

?

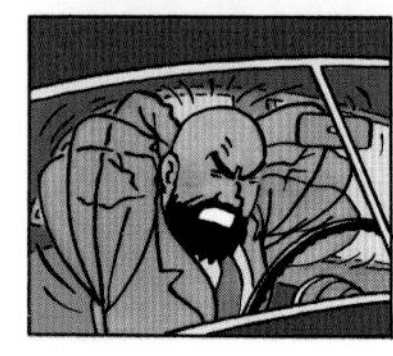

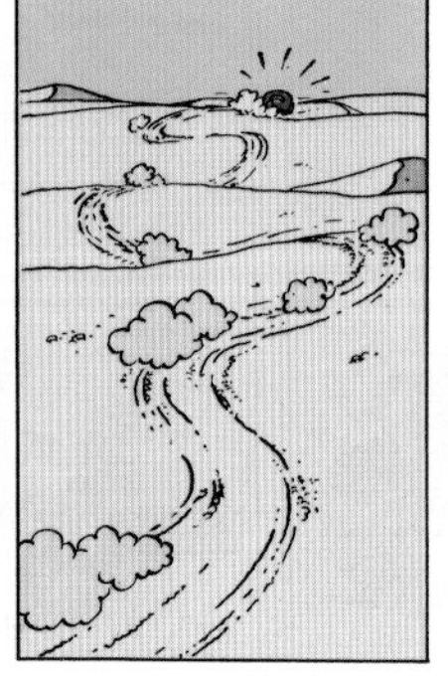

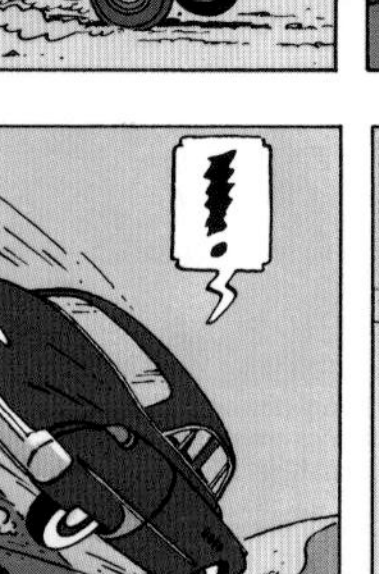

!

天哪!……冒黑烟了!……他们出了什么事?……

看看这些轮胎印……教授肯定是控制不住方向盘，结果翻车起火了……但愿小王子没有出事！……

太好了！这场车祸太好玩儿了！……

喂，我们是不是再来一次？……
嘘！……有一辆车停下了……打开车门的声音……当心！……

投降吧，缪勒！……你就要被抓住了！……
啊！哈！我正好有一笔老账要跟这家伙算一算！……

抓住我？……还早呢！……你们敢往前走一步，我就把这个小孩打死！……
太棒了！……就像一部真正的警匪片一样！……

再给你一把手枪，朝他们开枪！
谢谢你，阿布达拉！……你们听着，快放下武器！……

好让你像打兔子那样向我们开枪吗？……休想，我们绝不会放下武器！……

随你们的便……不过，你们可要当心！……你们要是轻举妄动，我就打死这个孩子！……现在，你们往后退！快，往后退！……再往后退！……

哈！哈！……好极了！……一辆漂亮的小轿车！……快，再往后退！……
是我爸爸的汽车……我们再玩一次车祸，好吗？……

快！你爬进车子里！……然后给我闭嘴！……

哇！……
哇！……

我把车子开走后，要是你们胆敢开一枪，我就打死这个可恶的小猴子！……听明白了吗？……那么，再见了！……
哇！……
哇！……

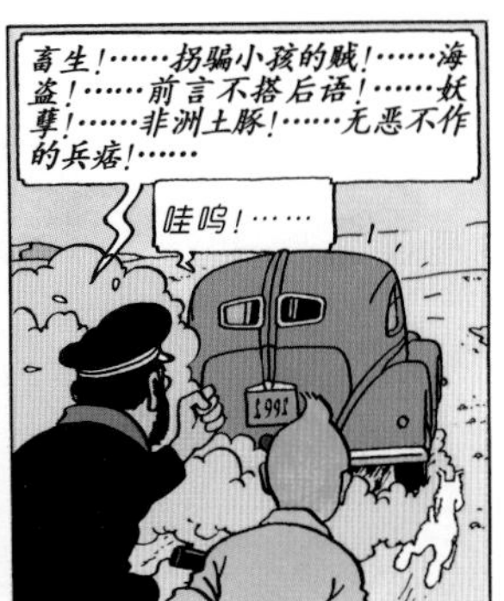

畜生！……拐骗小孩的贼！……海盗！……前言不搭后语！……妖孽！……非洲土豚！……无恶不作的兵痞！……
哇呜！……

你太坏了!……我要回到我父亲那儿去!……
好啦……好啦……

咣当

阿布达拉从车上跳下来了!……啊!这下情况不一样了!……

快，船长!……你照顾一下孩子!……

砰
砰
嘣

投降吧，缪勒!……
绝不!……你们休想活捉我!
汪!汪!

砰

砰
砰

他们隐蔽起来了……怎么办?……我唯一的机会，就是绕到他们后面去……

你和阿布达拉，还有米卢留在这里……我绕到他后面去……有什么紧急情况，就打一枪……
我要和小狗玩!……
好的……

能不能安分一点儿，你这个小腌黄瓜!……
哇!……我，我要和小狗玩!……哇!……哇!……哇!……

放手!可恶的大胡子!……

你这个小鸭嘴兽!
哇!……哇!……

天打雷劈!现在，你给我放老实一点儿，不然我要发火了!……
哇!……哇!……

怎么回事?……丁丁在干吗呢?

太安静了……这不正常!……

寂静无声，有点儿令人担心!……肯定要出事了……

嘣
!

天打雷劈！……无知的小兔崽子！……我……

嗖嗖
砰
砰

他在那里！……缪勒！……这个强盗，他从后面偷袭我们！……幸好丁丁及时赶到了！……
砰
砰
砰
砰！真该死！……砰！砰！砰！……

天杀的！子弹打完了！……快拿出阿布达拉给我的那把枪！……

缪勒！……缪勒！……你回头看一看！……赶来的吉普车，那是警察，缪勒！……而那边，再远一点儿，沙土飞扬的地方，那是国王的骑兵队！……你跑不掉了，缪勒！……
?

果然是国王的骑兵队！……我将被抓住，交到那个残酷的坏蛋手中……等待我的，将是严刑拷打、绑在木桩上受凌辱、温火烧死…… 不，绝对不行！……

可首先得把N.14销毁掉……咦？我放在哪儿了呢？……天杀的！我把它们给弄丢了……

不过，到了这一步，一切都无所谓了……

我说过了，你们休想活捉我！……你看着吧，我说到做到！……

看在上帝的分上，你这个疯子，别干蠢事！……

?

我给他的是一把墨水手枪！……天打雷劈！……

在烈日暴晒下连续赶路，搞得我头疼欲裂……
别叫苦了！我难道不也一样，头疼死了！

看！地上是什么东西呀？……

阿司匹林

一管阿司匹林！……来得真巧！吃上一片，嘿！头就不疼了！……

嘿！
嘿！

味道有点儿怪，你不觉得吗？
哦！你要知道，这些玩意儿从来就是难以下咽的……

嗝……
嗝……

两小时以后，在瓦德斯达医院……

不久以后……
陛下，您的车子回来了！……
阿布达拉带回来了吗？……

阿布达拉在车上！……阿布达拉！……我的宝贝小羊羔！……我的巧克力心肝！……
我很高兴能摆脱掉他这个宝贝小羊羔！……

我亲爱的甜心小鸟！……
我终于可以安安静静地抽袋烟了！
哇！

哇！……哇！……哇！……我要跟“真该死”，跟“天打雷劈”在一起！……

我的鼻子，真见鬼！……我的鼻子！……
再来！……再烧一下你的鼻子！……
来吧，再来一次，好让他高兴高兴……只要能把他逗乐就好。

啊！丁丁回来了！……

是这样，杜邦兄弟被送到了医院。现在还不清楚到底是怎么回事……每半个小时就要给他们剪一次头发……我已经写信给向日葵先生，请他帮忙化验一下缪勒拥有的那些奇怪的药片……
缪勒？……

啊！这是真的，陛下，只是您不知道罢了！……缪勒，才是史密斯教授的真实名字。
他在哪里？这条毒蛇，我要把他绑在木桩上处死！……

陛下，缪勒已经交到警察手里。我答应过他，他将会按照法律程序受到审判。

真主在上！你们这些西方人办事可真够复杂的！……而我们办事，就是干净利落！……

而且，对他的审判将会引起轰动……这是我从他身上搜到的材料，这些文件证明缪勒是西方某个大国的特务……在发生军事冲突的情况下，他和他手下的人将接受任务抢夺油井。这就解释了为什么我们在他家里发现了军火库……为了斯科尔石油公司的利益，他早就阴谋策划要把阿拉伯石油公司从这里赶出去。

这就是整个事件的大体情况。通过对他家的依法搜查，以及对他和他的同伙的审问，真相一定会大白于天下。总之，这不过是一场石油大战，或者是人们所说的“黑金大战”的一个小插曲罢了……

几天以后……
丁丁！丁丁！……向日葵先生回信了！……

亲爱的朋友们：

我对你们寄来的药片进行了化验。

它里面含有一种物质，只需把极少量的这种东西掺进汽油里，就可以大幅度地增加其爆炸能力。

经过实验，我发现只要在容积为1万公升的汽油罐里加进一片这种药剂，就足以

这就清楚了，船长！……发动机爆炸之谜被破解了！……你怎么啦？……
天打雷劈！……

你看看这张照片，真该死！
!

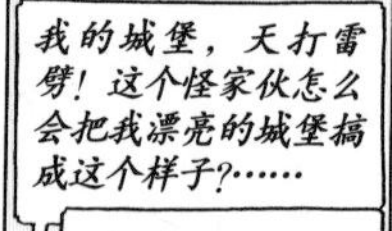
我的城堡，天打雷劈！这个怪家伙怎么会把我漂亮的城堡搞成这个样子？……

接着往下看，我们很快就知道了……

“……研究工作进行得非常困难。随信附上经过第一次实验以后莫兰萨城堡的照片……”
第一次实验？……这么说，他作了不止一次的实验啦？!!……
“……总之，实验最后是成功了，这是最主要的。至于杜邦兄弟毛发系统出现的现象，在服用了我另外邮寄给你们的、由我研制的药片之后，这种现象就会立即消失。我还给你们寄去另一种产品，则是用来中和N.14药片的作用的……”

几星期以后……
“对缪勒的审讯每天都揭露出新的情况。今天，发动机爆炸的真相已经大白。据悉，西方某个大国研制出一种代号为N.14的产品，将之加到汽油里就能产生十倍的爆炸能力……”

“在发生战争的情况下，这个国家的特务将会使敌对国家的储备燃料无法使用。从某种意义上来说，近期屡屡发生的发动机爆炸事件是这种新战术在小范围内进行的一场总演习。多亏了著名记者丁丁，N.14的秘密才得以揭穿……”

“……而一种足以中和前者效力的产品也立即被研制成功了。因而可以说，正是由于这位勇敢的年轻人的干预，战争才得以避免。至于不慎误服了N.14药剂的杜邦和杜庞两位侦探，他们的健康状况曾经引起广泛的关注，现在正在康复中。”

你们是怎么想的?……我们侥幸地避免了一场大灾难，不是吗?……真想不到，要不是杜邦兄弟误服了药，我们早就面临一场战争了!……我想起来了，船长，你到现在还没有给我讲清楚，你是怎样卷入这个事件当中来的呢?……
哦!是的，的确是这样。我……谢谢您，陛下……

好的……噗……是这样的……噗……我想我早跟你说过了……噗……这既非常简单……噗……也很复杂……

你想想看吧……噗……我……噗……

扑哧

又是阿布达拉的恶作剧!……他可是向我保证过，以后不再调皮了……啊！多么可爱的孩子，不是吗?

可爱!……可爱!……说得好!……不过，别指望我给你们讲述我那故事的下文!……这一次，真该死！完了，一切都结束了!……

完